狮子爱漂亮，

不喜欢自己的头发直直的。

他请好朋友狐狸想办法，

要把头发变得卷卷的。

狐狸想出各种方法，

用风吹呀，

让雨淋呀……

热心的小动物们也纷纷来帮忙，

可是一点儿用都没有。

聪明的狐狸遇到了难题。

怎么办？怎么办？

怎样才能让狮子的头发变得卷卷的呢？

——金　波

京权图字：01－2007－6052

作者、绘者姓名以及本书经格林文化事业股份有限公司授权，同意经由外语教学与研究出版社出版中文简体字版本。非经书面同意，不得以任何形式任意复制、转载。

图书在版编目(CIP)数据

狮子烫头发／孙晴峰文；庞雅文图；金波审读 . — 北京：外语教学与研究出版社，2007.12
（聪明豆绘本系列）
ISBN 978－7－5600－7139－8

Ⅰ. 狮…　Ⅱ. ①孙…　②庞…　③金…　Ⅲ. 图画故事—中国—当代　Ⅳ. I287. 8

中国版本图书馆 CIP 数据核字（2007）第 202880 号

出 版 人：于春迟
责任编辑：姬华颖
封面设计：蔡　曼
出版发行：外语教学与研究出版社
社　　址：北京市西三环北路 19 号（100089）
网　　址：http://www.fltrp.com
印　　刷：北京画中画印刷有限公司
开　　本：889×1194　1/16
印　　张：2
版　　次：2008 年 1 月第 1 版　2008 年 1 月第 1 次印刷
书　　号：ISBN 978－7－5600－7139－8
定　　价：14.90 元
＊　＊　＊

聪明豆绘本系列

狮子烫头发

孙晴峰 文　　庞雅文 图

金波 审读

外语教学与研究出版社
北京

很久很久以前，狮子的头发是直直的。但是，一只爱美的狮子改变了一切。

有一天，狮子在沙滩上散步，看见海浪一波一波向前滚动着，非常好看。狮子心里想："如果我的头发也能像波浪一样，弯弯的，那该多好呀！"

于是，他去找好朋友狐狸想办法。

狐狸想啊想啊，忽然大叫起来："啊！我知道怎么做啦！"

狮子连声问："怎么做？怎么做？"

狐狸说："你想，海在什么时候会翻起好看的浪？"

狮子想了一会儿，说："有风的时候呗。"

"对啦！"狐狸兴高采烈地说，"那我们也制造一阵大风，不就行了吗？"

于是，狐狸邀请来了许多动物。大伙儿围成一个半圆，狮子满面笑容地坐在对面。

狐狸对大家说："我喊'一，二，三，吹！'你们就用力吹，明白吗？"

"明白了！"大伙儿齐声答应。

“一，二，三，吹！”

呼——

哇，好大的风呀！四周树上的叶子都纷纷掉下来了。只见狮子的头发真的像波浪一样弯弯地飘起来。可是，风一停，就恢复了原样。

7

狐狸说："别灰心，我们再来一次！"

呼——

又是一阵大风，树上的叶子飘呀飘，差不多都快落光了。狮子的头发也随着风飘呀飘，但等风停了，头发就又直直地披下来，把他的眼睛都遮住了。

大伙儿看见狮子这副模样都大笑起来，羞得狮子脸都红了，赶紧一溜烟跑开了。

大风吹的办法不顶用，狐狸感到很惭愧，又开始想别的办法。

这天，天空原本是蓝蓝的，可不知什么时候竟下起雨来。

狐狸看见小狐狸们在外面玩水，刚要叫他们回来，忽然发现雨点落在水坑里的时候，水面上就会泛起一圈一圈的涟漪。狐狸看着看着，又想出了一个新办法。

"啊，这个办法准行！"狐狸非常高兴，赶紧跑去找狮子。

狐狸带着狮子来到池塘边，指着雨点打出的涟漪问："把你的头发变成这样一圈一圈的，好不好？"

狮子连声说："好啊！好啊！"

狐狸说："那很简单，你坐在这儿淋雨就行了。"

11

　　于是，狮子就乖乖地坐在雨中，淋起雨来。

　　刚开始还好，可过了不久，狮子就不停地打起喷嚏来。

　　起先，狐狸还觉得无所谓，但后来看见狮子冻得浑身发抖，才知道大事不好，连忙扶着他回家去了。

14

又一天，狐狸回到家，看见狐狸太太在做孩子们爱吃的花生卷饼。

狐狸拿起一个放进嘴里，"真好吃，这是怎么做出来的？"

狐狸太太说："来，我做给你看！"她在擀好的面饼上撒上糖、花生粉，再卷起来。

狐狸觉得很有趣，也帮着做起来。

做好后，狐狸太太拿出一块大石板架在火上，把卷饼一个个放在上面烤。狐狸好奇地问："烤的时候，卷饼会不会松开，又变成扁扁的一片呢？"

"当然不会了。"狐狸太太回答。

狐狸灵机一动，"如果把狮子的头发卷起来，再烤一烤，不就成弯弯的了吗？"

　　狐狸兴奋极了，想立刻跑去告诉狮子，可是转念一想："不行，前两次都失败了，这回一定要成功，我还是仔细考虑清楚再去找他吧！"

　　"首先，要用什么来卷头发呢？"狐狸想来想去想不出来，就到外面去散步。他看见田里的玉米结着玉米棒，"太好了！就用这个卷。"

　　狐狸掰了三十多个玉米棒，他一边掰，一边想："卷头发倒还容易。但卷好后，要怎么烤呢？总不能用火堆烤吧？"狐狸想啊，想啊……

第二天，狐狸找到狮子，把自己想了整整一晚上的主意告诉了他。"但是，"狐狸补充说，"这回要想成功，不光得靠我们自己，还得天公作美才成。"

　　接下来的几天，狐狸变得很古怪，一看见红艳艳的太阳、蓝蓝的天就叹气。他整天呆在家里不出去，指挥小狐狸们用竹条和纸做了一个很大的风筝，风筝上面插了条铁片，风筝下面还缀着好多细线。

19

这一天，天阴沉沉的，好像随时要下雨。狐狸兴奋地跑到狮子家，嚷起来："快跟我走！"他拉着狮子跑到一块空地里，拿出玉米棒，先把狮子的头发一束一束卷起来，又把风筝下面的一根根细线绑在上面。很多动物都围过来看。

　　天上的云变得越来越黑，越来越厚，狐狸看时候到了，就说："请各位帮我把风筝放起来！"大伙儿立刻热心地跑过来帮忙。

　　风筝飞上了天，下面拖了长长的线
连着狮子的头发。这是一幅多么奇特画
面啊！大家看了都忍不住想笑，但还没
来得及笑，天上就开始闪电了。风筝上
的铁片被闪电击中后，发出电光，电流
沿着线传到玉米棒上，接着是噼噼啪啪
的爆炸声……

玉米都成爆米花啦!

又一阵闪电过去，狮子已经被埋在一堆爆米花下面了。

大伙儿立刻跑过去，把狮子拉出来，拍落他身上的爆米花。

　　狐狸把第一个玉米棒从狮子的头发上拆下来时，狮子紧张得闭着眼睛不敢看。

　　当听见狐狸大叫道："成功了！成功了！"狮子赶紧睁开眼睛一看，可不是嘛，头发已经成了弯弯的卷发。

　　大家都欢呼起来，忙过来帮狐狸剪线、拆玉米棒。当全部的玉米棒都拆下来时，狮子已经有了满头的卷发啦！

　　热心的乌龟驮过来一盆水，给狮子当镜子照。狮子看见自己的模样，可得意了。

"谁在拉我的尾巴呀？"狮子转身一看，原来是小猴子。

小猴子嘟着嘴，不太高兴地说："下次爆米花的时候，别忘了加糖，好不好？没甜味儿的爆米花不好吃！"

生活就是美好的游戏

凶狠的、威武的狮子很多，这儿却有个爱美的、无助的狮子。

狡诈的、油滑的狐狸很多，这儿却有个善良聪明、热心肠的狐狸。

更奇妙的是，两人还轰轰烈烈地来了回大创举，要为原本直头发的狮子烫出美丽的波浪卷发！让我们不妨静静微笑，看着他们如何摆弄。

想到海风能拂起层层波浪，他们尝试创造一阵大风来弄卷狮子的头发；雨滴入池，生成涟漪，这又给了他们启发；最后，他们还从狐狸太太的花生卷饼中取得了秘诀，效仿了一把富兰克林（但这真危险啊），成功地为狮子烫出了卷发！

当狐狸站在一堆香喷喷的爆米花前，笑得嘴都合不拢时，我们也不禁莞尔：好一群优秀的模仿家，好一场快乐的游戏！孩子们是天生的模仿家，广阔自然和细微生活中的各种现象，无不被他们信手拈来，变成一场游戏的主题和模仿对象。在这其中，他们慢慢体会到：呀，原来这样行不通，那样却可以成功！

可游戏并不止步于模仿。在这场声势浩大的烫发游戏中，他们学会了秩序井然：掰玉米、量尺寸、做风筝、等待闪电，一切都有条不紊，并不亚于那些严谨的成人活动呢！在游戏中，每个孩子也自觉或不自觉地扮演起各自的角色：或是司令官，或是执行者，或是志愿者，或是观众……看，一个小社会悄然诞生了！

但更重要的是，这是一场温暖的美丽游戏。在每一页中，朋友们或焦灼、或担忧、或欢喜的表情都生动无比，那份纯真的情谊始终都暖暖地绕在心间。当笨笨的小猪费力地举起风筝，狐狸还在紧张地检查着最后的程序，而这只爱漂亮的狮子却穿着温柔的小紫衫，笑眯眯地、全然信赖地将自己的大心愿交给朋友们——这份信任和友谊，也就是烫发游戏中最本真的意义啊！

其实，对于成人们的生活，何尝不是如此呢！游戏和生活之间，又真的那么泾渭分明吗？生活就是一场场游戏的扩大和延伸，我们需要谨记游戏的珍贵意义，并在生活中学习游戏的精神！